Quipu

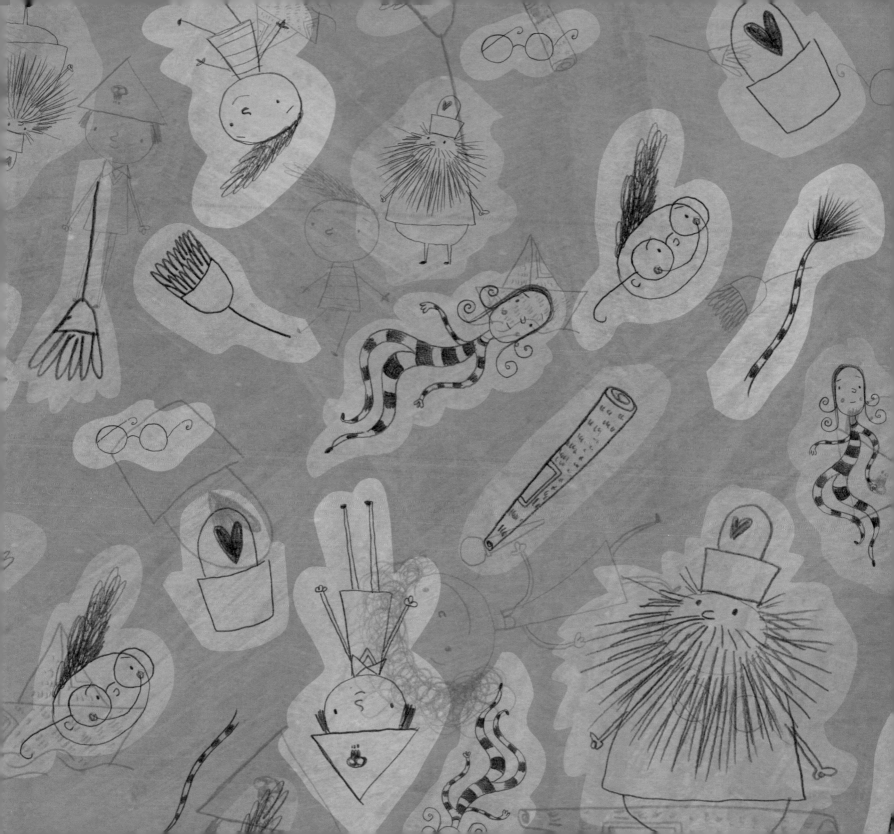

©
Felicitas Arrieta, 2016.
Quipu, 2016.
Juan Chavetta, 2016.
Quipu, 2016.

1º edición: 2017

José Bonifacio 2434, Buenos Aires
Tel - Fax: +54 (11) 4612-3440
info@quipu.com.ar
www.quipu.com.ar
@quipulibros
/QuipuLibros

Dirección de arte: Macaita
Edición: Grupo Editorial Quipu
Diseño Gráfico:
Marulina Acunzo

Hecho el depósito
que marca la ley 11.723
Libro de edición argentina
Printed in Argentina

Arrieta, Felicitas
  La increíble familia de Camilo, el niño que se aburría / Felicitas Arrieta;
ilustrado por Juan Chavetta. - 1a ed . - Ciudad Autónoma de Buenos Aires :
Quipu, 2017.
  36 p. : il. ; 24 x 22 cm. - (Libro álbum)

  ISBN 978-987-504-181-3 (Rústica)
  ISBN 978-987-504-182-0 (Cartoné)

  1. Familia. 2. Juegos. 3. Amistad. I. Chavetta, Juan , ilus. II. Título.
  CDD 863.9282

Impreso en Argentina
con Papel de Fuentes Mixtas
y manejo responsable.

Impreso en Triñanes Gráfica S.A.
Charlone 971, Avellaneda, Buenos Aires, Argentina.
En el mes de enero de 2017.

LA INCREÍBLE FAMILIA DE CAMILO, EL NIÑO QUE SE ABURRÍA

• FELICITAS ARRIETA •

• JUAN CHAVETTA •

—Ma... –gritó Camilo con la boca grande como un alfajor triple de chocolate, mientras arrastraba los pies por el pasillo– ¡me aburro!

No era una novedad, Camilo se aburría fácilmente.

Sus papás le compraban cuanto juguete nuevo aparecía en la tele para evitar sus berrinches.

Tenía una *tablet* y juguetes a montones: autitos con antenas, camiones con sirenas, soldados de madera. Sin embargo, Camilo se pasaba las tardes paseando por la casa, más aburrido que un piojo en una peluca.

—Ma... –repitió asomando la cabeza por la puerta de la cocina– ¡me aburro!

—¿Querés cocinar conmigo? –le preguntó su mamá, rodeada de ollas–. Podemos hacer torrejas, o mejor… ¡lentejas! Y como dice la abuela: si quieres las comes y si no, las dejas.

—¡Uf! –contestó Camilo resoplando–. ¿Cocinar? Eso es menos divertido que una película de zombies vegetarianos. ¿Qué puedo hacer para divertirme?

—Preguntale a tu hermana, seguro que ella sabe.

Camilo arrastró los pies hasta el dormitorio de Carmela, lento como una babosa.

—Mela, ¡me aburro!

—¿Querés practicar yoga conmigo? Podemos hacer unas piruetas piruetísticas, posturas elásticas y fantásticas, de pie, sentados y de cabeza.

—¡Uf! –resopló Camilo–. ¿Yoga? Eso es más aburrido que dormir la siesta un día de sol. ¿Qué puedo hacer para *desaburrirme*?

—Tal vez papá pueda ayudarte con eso, él conoce muchos juegos del tiempo del ñaupa.

—¿Ñaupa? ¿Y eso con qué se come? –pensó Camilo mientras caminaba perezosamente hasta la sala.

A esta altura ya tenía pocas esperanzas de que pudieran ayudarlo. Siempre lo mismo en esta familia, los grandes no tenían la menor idea de cómo divertirse.

—Pa, ¡me aburro!

—¿Querés leer el diario conmigo? Hay historias indiscretas e increíbles historietas.

—¡Uf! –resopló un poco más fuerte que antes–. ¿El diario? No hay nada que me dé más sueño. Con esas letras tan chiquitas y tan pocos dibus.

—¿Y qué tal salir un ratito al jardín? Porque ya llegó la primavera y el clima está ideal para jugar afuera.

Camilo caminó con desgano hacia el jardín y al pasar por la huerta encontró a su abuelo
con las rodillas en el barro y la cabeza entre las plantas.
Sus grandes anteojos brillaban al sol.
—Abu...

—Ya sé, estás aburrido. ¿Querés trabajar la huerta conmigo?
Podemos plantar plantines, hacer brotar brotes y ayudar a florecer
las flores.

—¡Uf! –más que un resoplido, ya era un huracán–. A-BU-RRI-DÍ-SI-MO.
¿Es que nadie sabe cómo divertirse en esta casa? –gritó Camilo enojado.
—Yo no sé lo que es aburrirse –dijo el abuelo–, será porque tengo mis anteojos
mágicos, que convierten cualquier situación aburrida en algo fabuloso.
—¿Mágicos? ¿Y cómo se usan? –preguntó Camilo con desconfianza,
apoyándose los enormes lentes en su pequeña nariz.

Y al instante todo cambió, como por arte de magia, pero sin varita ni abracadabra.
Las plantas a su alrededor cobraron vida. Bueno, cobraron más vida, porque vida
ya tenían. Eran cada vez más grandes, verdes y lustrosas. El huerto del abuelo se
había convertido en una jungla… ¡y no faltaban ni los monos!
—¡AAAAAAAAAAAAAA! –aulló Camilo como Tarzán, columpiándose en una liana
desde los durazneros hasta los tomates.
—Tengo que mostrarle estos anteojos a Mela –pensó Camilo.

Entró corriendo a la casa y, al llegar al dormitorio, lo sorprendió una presentadora de circo sospechosamente parecida a su hermana, dándole una calurosa bienvenida.

—**Pasen y vean,** el circo de los hermanos Moretti abre sus puertas. ¡Totalmente libre de animales! Asómbrense con los trapecistas rusos, los malabaristas chinos y los **yoguis contorsionistas** recién llegados de la India.

Sin pensarlo dos veces, Camilo se unió al show mientras el público lo aclamaba.

Puso los pies detrás de la cabeza, hizo equilibrio sobre sus manos y luego voló alto con la ayuda de su compañera contorsionista.

—**Tengo que mostrarle estos anteojos a mamá** –pensó mientras se desenredaba los brazos y se desanudaba las piernas–, así aprende a divertirse como yo.

Al llegar a la cocina, descubrió que una cantante famosa lo esperaba en el escenario.
Tenía los mismos rulos que su mamá, aunque con una actitud más rockera.
Camilo subió corriendo al escenario para tocar la improvisada batería de ollas,
jarritos y sartenes.
—**Tengo que mostrarle estos anteojos a papá** –pensó agotado, luego de
un solo de batería interminable.

En cuanto entró al living tuvo que pegar un salto para no mojarse en un mar de grandes olas. Los restos de un barco pasaron flotando por delante de sus ojos. Rápidamente se montó en un barril a la deriva mientras un pirata, que usaba la corbata de su papá como parche en el ojo, exclamaba:

—Marinero, ¡naufragamos!

¡Nos hundimos! ¡No flotamos!

—**Tierra a la vista, capitán** –contestó Camilo, luego de mirar por el catalejo
de papel de diario–, podremos llegar allí saltando entre los restos del barco,
para no mojarnos tanto.

A los saltos, cambió el barril por un tablón de madera, para luego caer sobre
la tapa de un cofre. El resto del tesoro, qué lástima, ya se había hundido.
Flotando cómodamente alcanzaron tierra firme.

—¡Viva! ¡Viva! ¡Se salvaron! –festejaban los nativos de la isla con sus ropas coloridas, sus sombreros de plumas y sus collares de caracoles.

—Marinero –anunció una nativa–, es hora de devolver los anteojos mágicos para ir a disfrutar del banquete de bienvenida.

—¿En serio, ma? ¿Ya es hora de cenar?

—Sí, Milo. A la mesa.

Camilo se sacó los anteojos despacito, no muy convencido y teniendo cuidado de no romperlos. El mar volvió a ser de baldosas, el barril un sillón viejo y la isla una alfombra amarilla y peluda que habían comprado en la feria hacía dos semanas.

—**No quiero dejar de usar los anteojos** –confesó Camilo, preocupado de volver a su estado de aburrimiento habitual, mientras le entregaba los anteojos al abuelo Toto.

—No te preocupes, Milo —contestó el abuelo—.
Estos anteojos son tan pero tan mágicos, tan
magiquísimos, que no es necesario que los uses
todo el tiempo. Son anteojos de entrenamiento.
Una vez que aprendés a ver las cosas con los
ojos de la imaginación podés hacerlo en cualquier
lugar y momento, con o sin anteojos ¡**totalmente
garantizado**! Dale… ¡probá!

Camilo cerró los ojos con fuerza para concentrarse, con un poco de dudas
y bastante ilusión. El abuelo Toto nunca le mentía, así que valía la pena
hacer el intento. Abrió primero un ojo, después el otro y se encontró de
vuelta en la isla, como por arte de magia, pero sin varitas ni abracadabra.
Y lo mejor de todo, **sabía que podía volver cada vez que quisiera.**

FELICITAS ARRIETA

Nací en Buenos Aires en 1988 y tuve la fortuna de hacerlo en una familia apasionada por los libros. Cada habitación de la casa tenía una biblioteca. Estaban disponibles a toda hora y de a montones; este universo de posibilidades hizo crecer en mí una personalidad muy curiosa.

Disfruto de observar, escuchar y vivir nuevas experiencias. Tal vez por eso me apasiona viajar y aprender distintas disciplinas: me hace crecer como persona.

Siento también un impulso a expresarme y disfruto de hacerlo cantando, dibujando, escribiendo... ¡haciendo yoga! No pretendo ser la mejor en ninguna de estas actividades y eso lo hace más divertido. Como si estuviera jugando al juego de ser completamente libre... ¡el que no se anima, pierde!

JUAN CHAVETTA

Nací en Zárate, soy Ilustrador y Diseñador gráfico. He publicado mis trabajos en revistas como PIN, El Gourmet y Caras y Caretas; y creado diseños tanto para marcas deportivas como obras de teatro infantil. También participo mucho en eventos culturales y educativos del país.

Además, publico en editoriales dedicadas a los más chicos. *Primer susto*, *El resfrío del Yeti* y *Cerebro de monstruo* son algunos de los libros que tuve el placer de ilustrar.

En QUIPU he publicado *Puro Pelo 2*, *El Sr. Cuco y Puro Pelo* y las historietas de Puro Pelo, junto a Fabián Sevilla, libros en donde aparece el personaje más querido por todos, Pelito, junto a sus amigos, en historias divertidas y con temas súper interesantes.

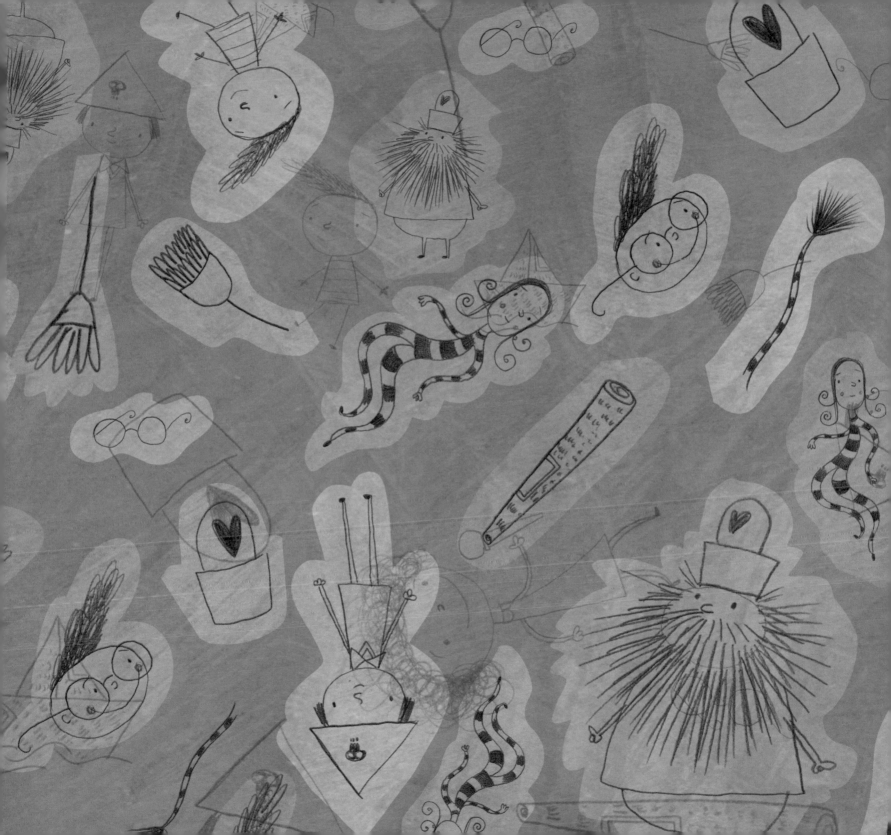

www.quipu.com.ar